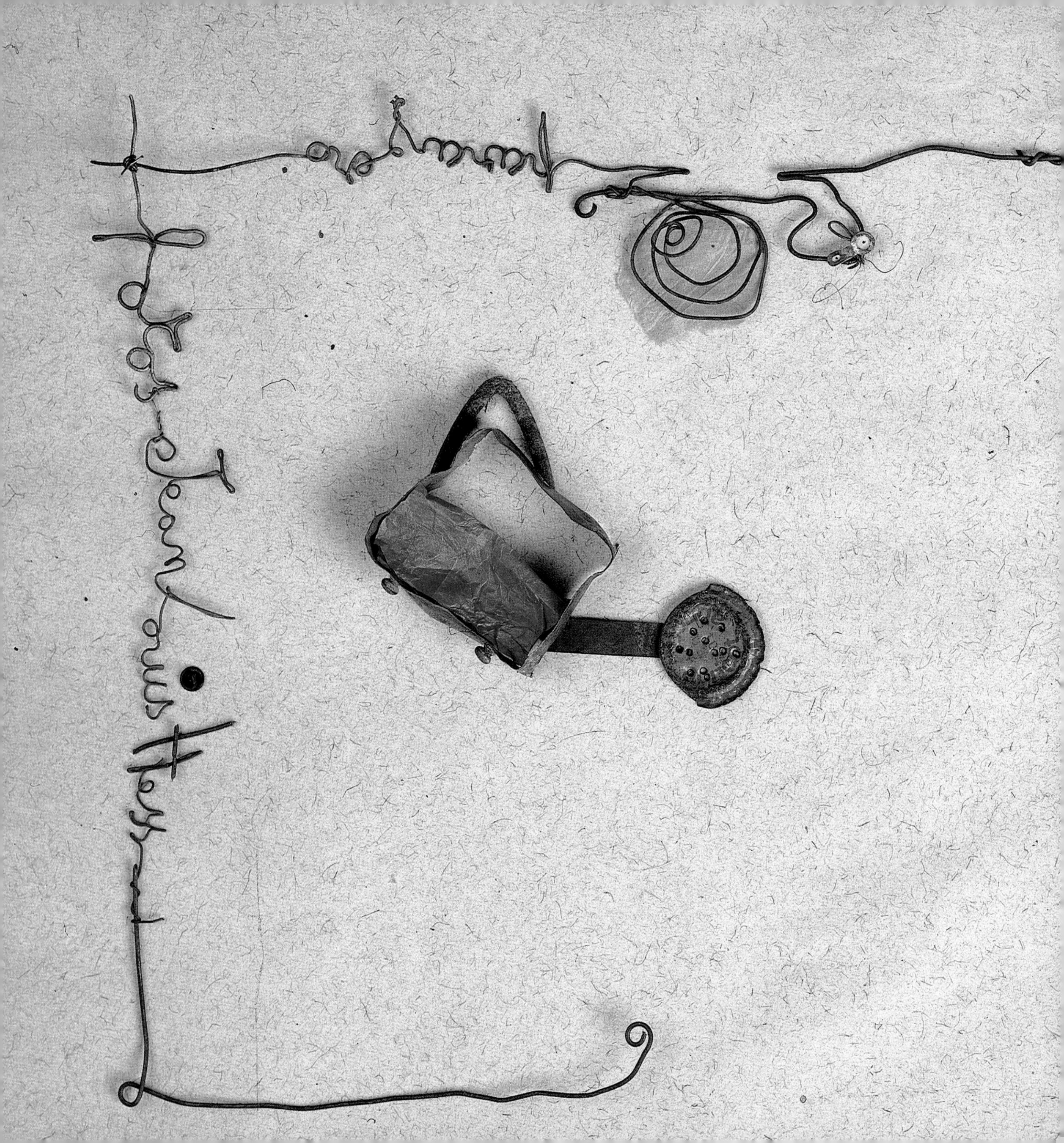

¡todavía nada?

kalandraka

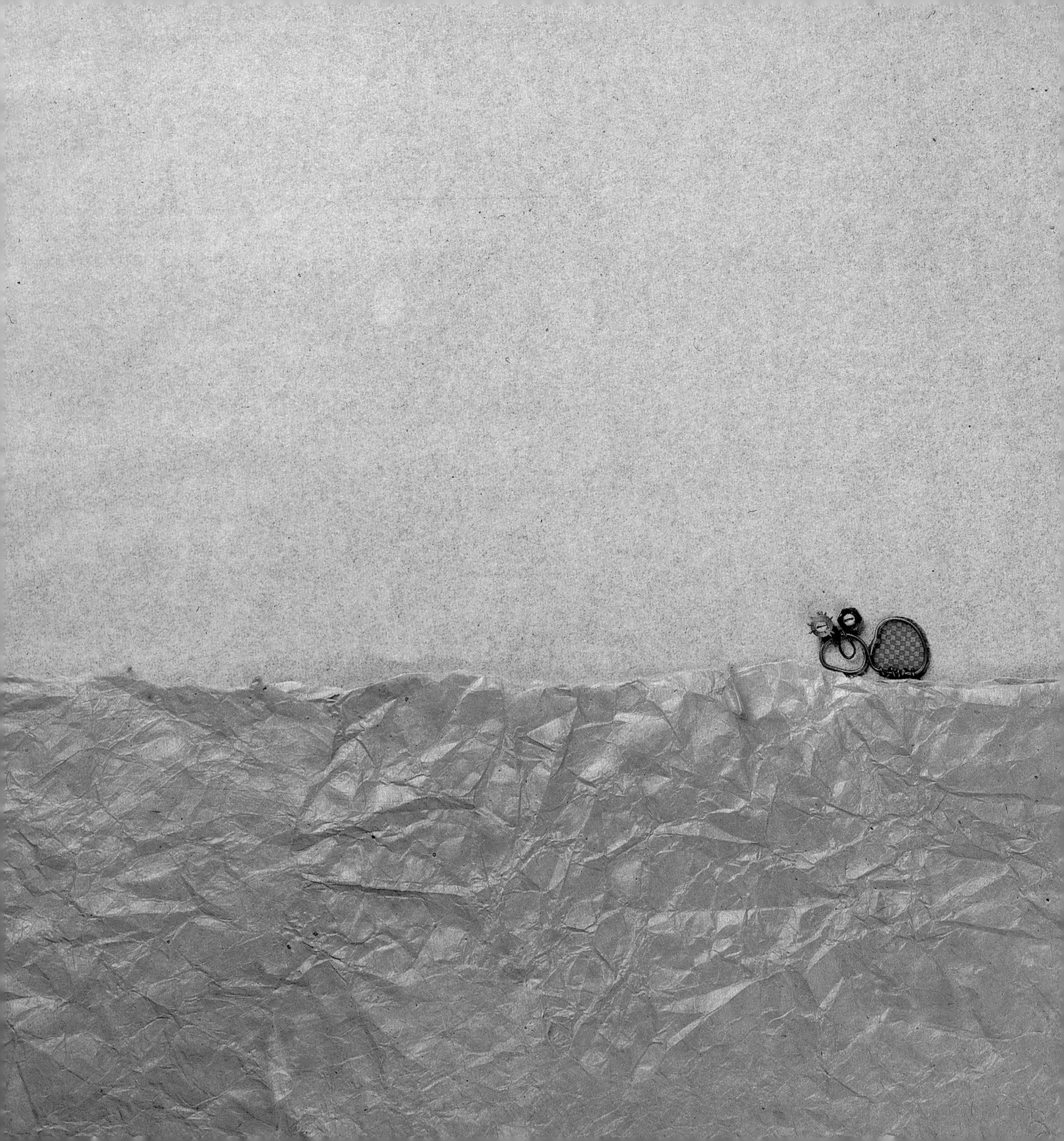

Christian **Voltz**

¿Todavía **nada**?

kalandraka

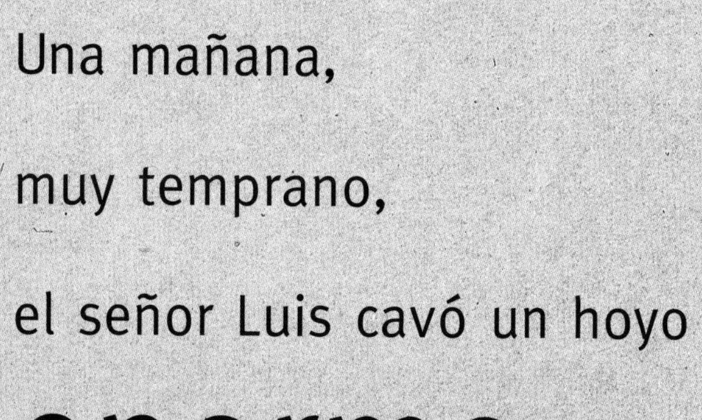

Una mañana,

muy temprano,

el señor Luis cavó un hoyo

enorme

en la tierra.

GRRR

En este hoyo

enorme,

el señor Luis dejó caer

una semillita llena de promesas

(porque a las semillas les gusta

abrigarse en la tierra).

Después, el señor Luis volvió a rellenar

el hoyo **enorme**

y saltó encima con todas sus fuerzas para

apretujar

apretujar

apretujar la tierra

(porque a las semillas les gusta

abrigarse en la tierra bien apretujada).

Luego,

el señor Luis

empapó la tierra

con su regadera

(porque a las semillas les gusta
la tierra bien apretujada y muy húmeda).

Finalmente,

el señor Luis dijo:

Te estaré esperando

(porque a las semillas les gusta

sentir que alguien las quiere y las espera).

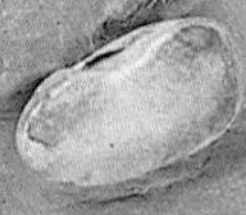

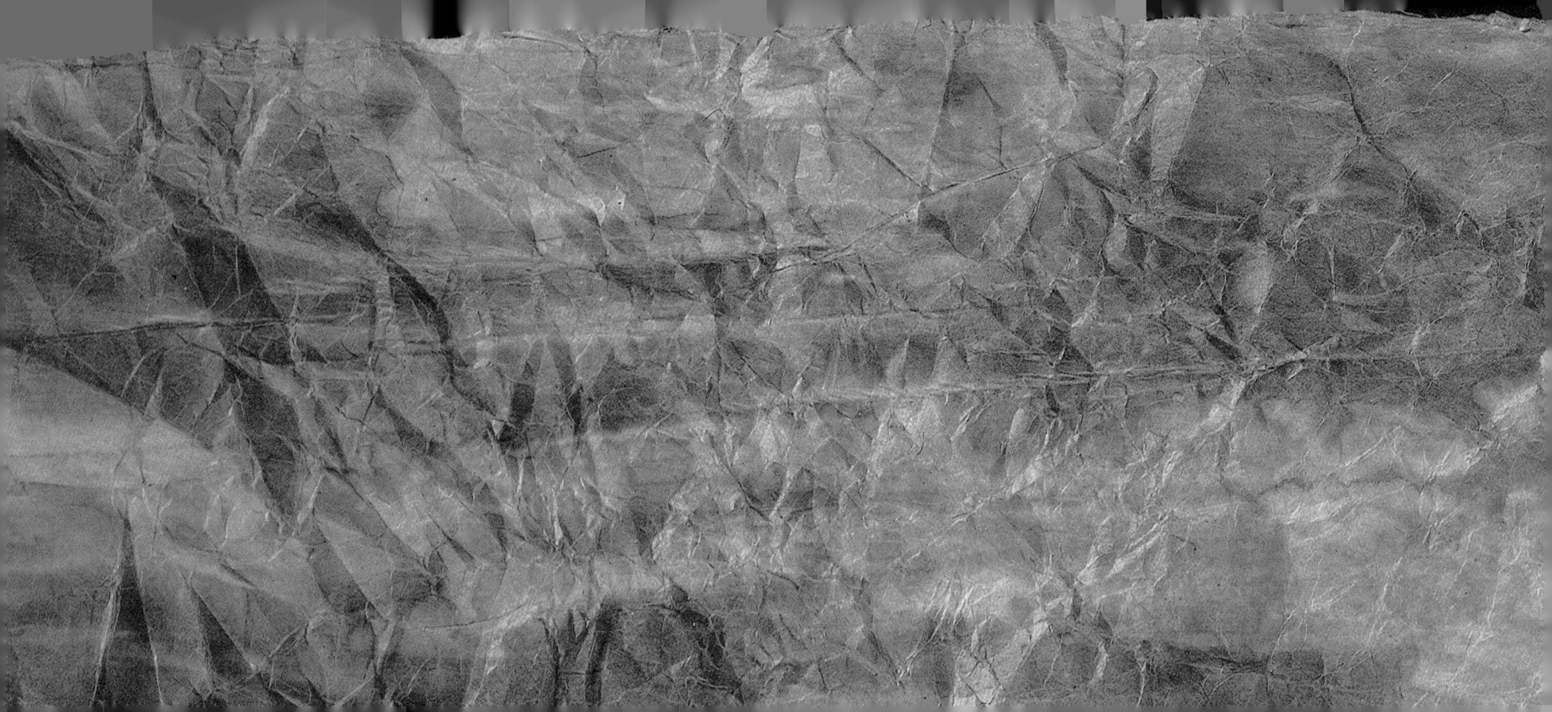

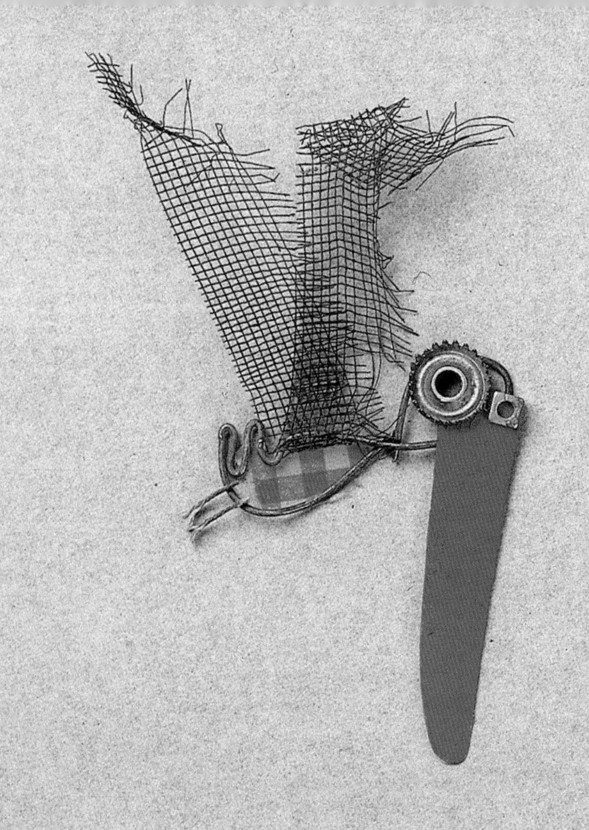

Al día siguiente,

el señor Luis

fue a ver si había brotado algo.

No había **nada** que ver.

Claro,

¡era demasiado pronto!

–Hay que tener paciencia

–le dijo al pájaro.

Pero el pájaro no dijo **ni pío**.

Al día siguiente,

el señor Luis fue a ver

si ya había brotado algo.

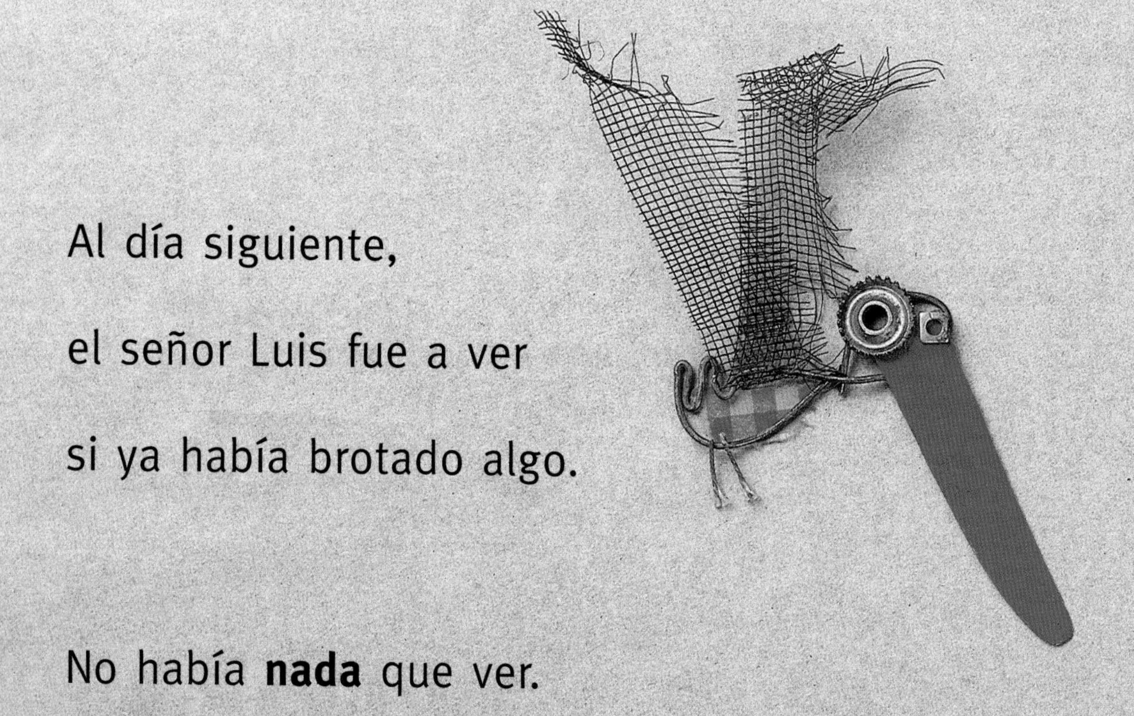

No había **nada** que ver.

¡Aún era demasiado pronto!

–Volveré mañana

–le dijo al pájaro.

Pero el pájaro no dijo **ni pío**.

Al día siguiente,

fiel a su cita,

el señor Luis regresó.

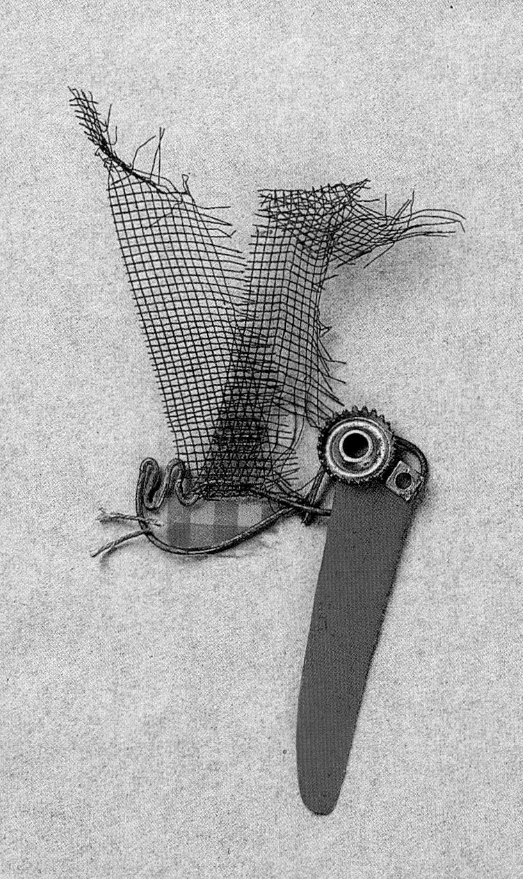

No había **nada** que ver.

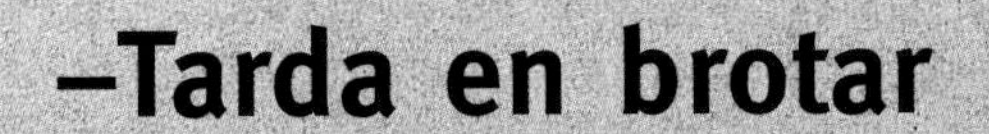

–Tarda en brotar

–le dijo al pájaro.

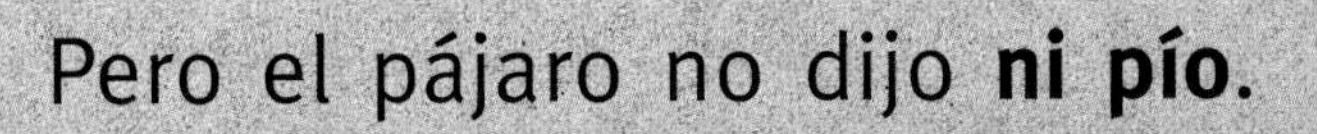

Pero el pájaro no dijo **ni pío**.

Al día siguiente,

el señor Luis

volvió otra vez.

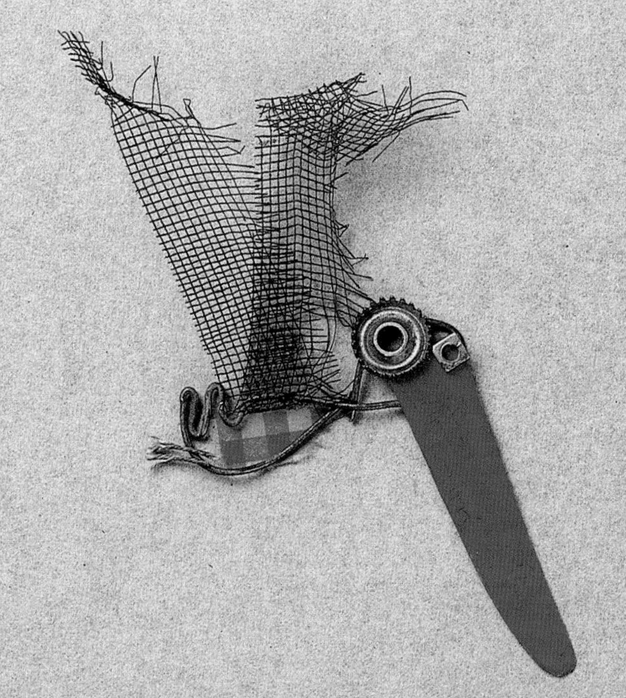

Aún no había

ni el menor indicio de la semilla.

–¡Estoy hasta el gorro!

No vale la pena que vuelva mañana.

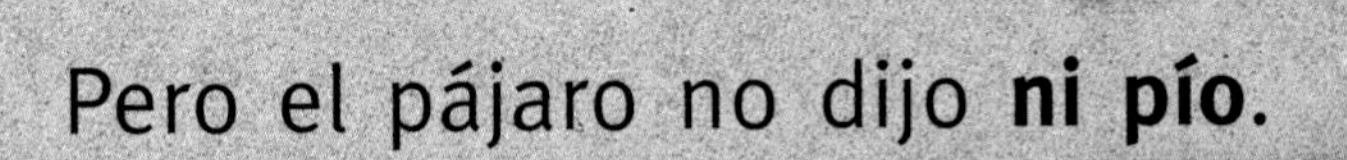

Pero el pájaro no dijo **ni pío**.

–¡Qué linda flor! –dijo el pájaro cuando, al fin, abrió el pico–. ¡Si se la regalo a mi novia

seguro que me da un beso!

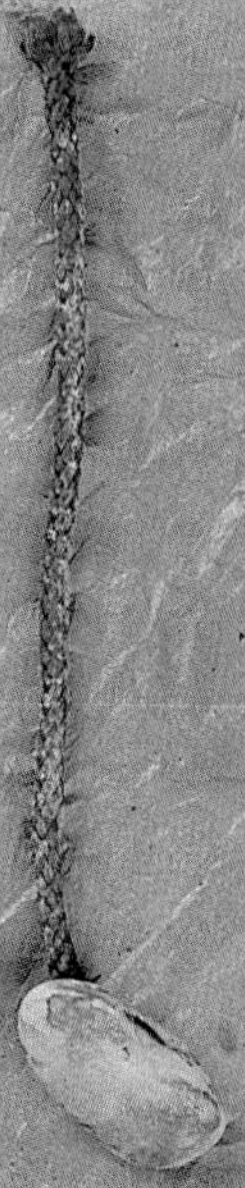

(claro, ¡el pájaro estaba enamorado!).

–¿Todavía nada?

–dijo el señor Luis

cuando volvió

al día siguiente...

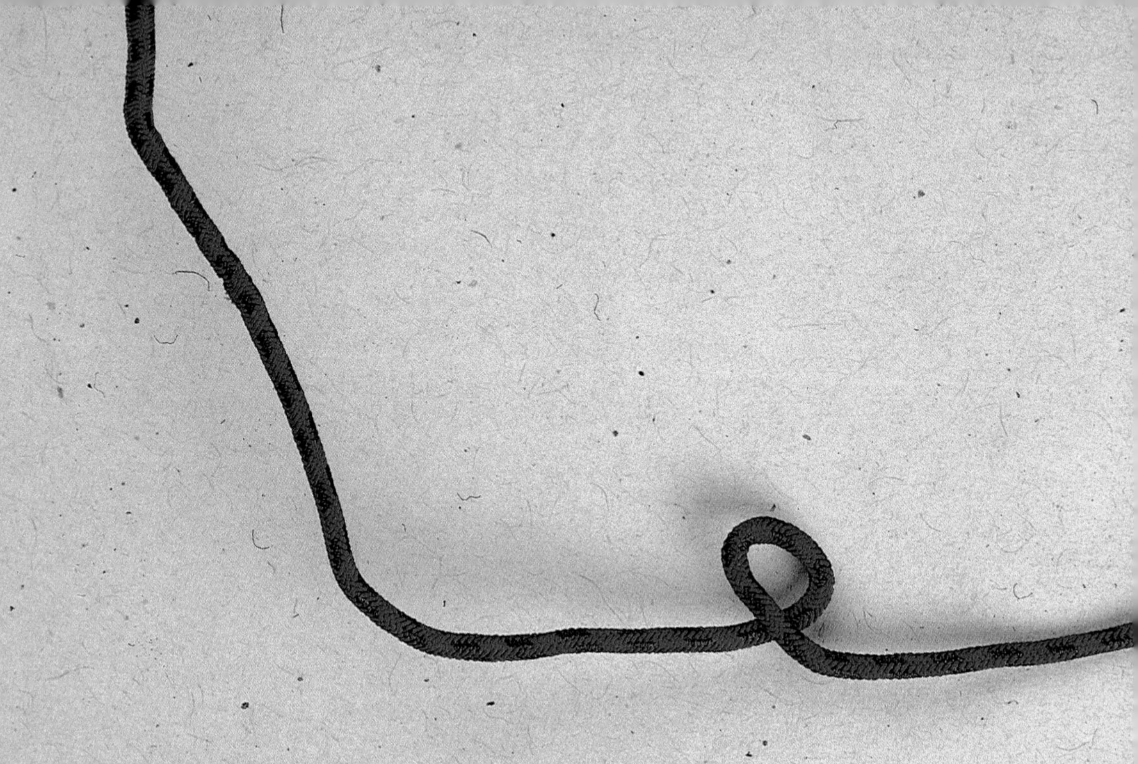

Título original en francés: ***Toujours rien***

Colección libros para soñar

Avión Cuatro Vientos, 7 - 41013 Sevilla
Telefax: 954 095 558
andalucia@kalandraka.com
www.kalandraka.com

Impreso en Eujoa, Asturias
Primera edición: febrero, 2008
Segunda edición: marzo, 2009
ISBN: 978-84-96388-81-9
DL: SE-6896-2007

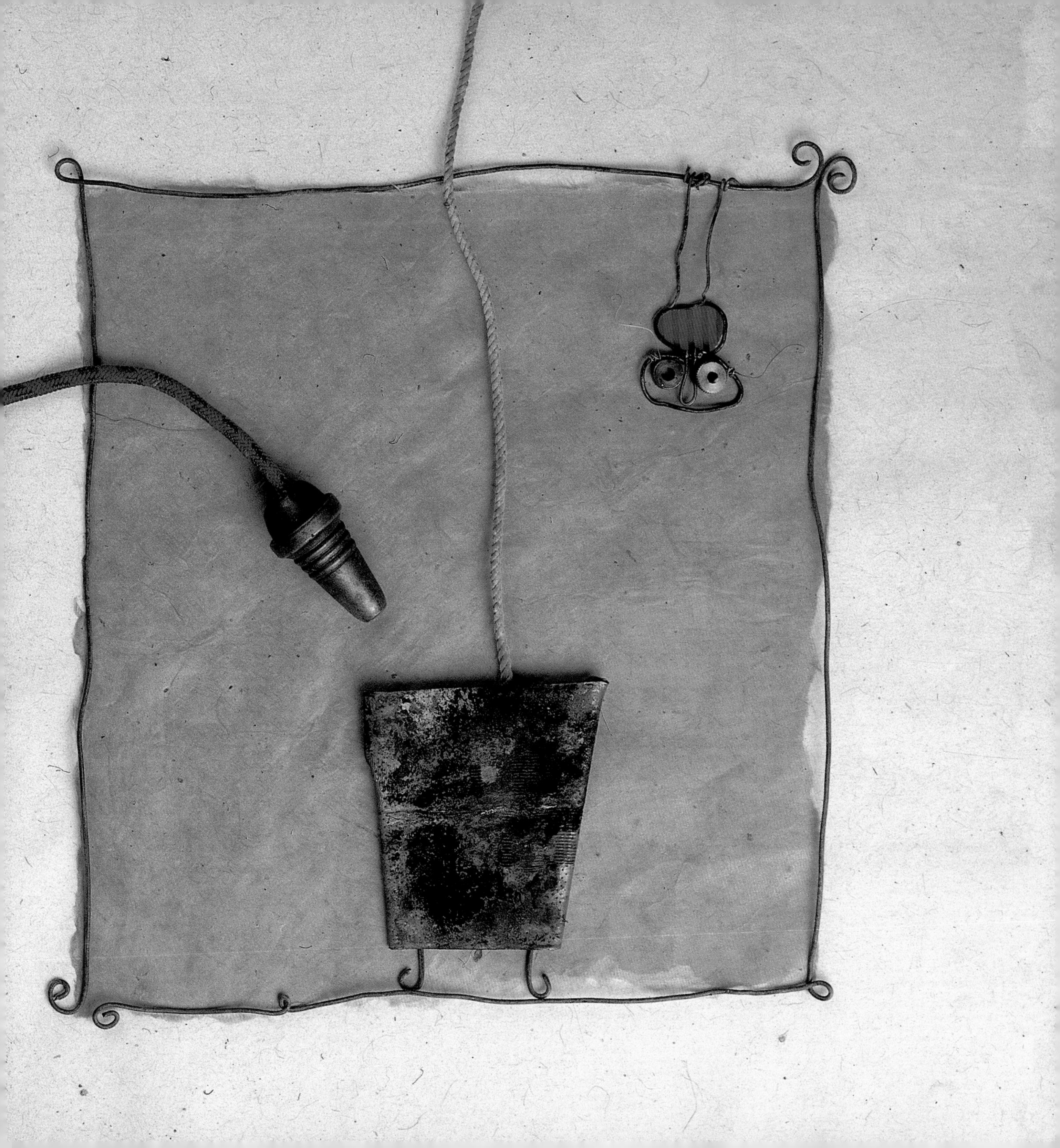